俄罗斯聪明玛莎出版社
北京开心球动漫技术有限公司

U0874143

啦

赵力 译

每个人都有不足，但我们也都有自己特殊的才能。

中国人民大学出版社
· 北京 ·

人物介绍

兔小跳

喜欢运动和探险，爱吃胡萝卜

一只淘气、多嘴的兔子。活泼好动，充满活力，是个乐天派，和猬小弟是最好的朋友。

猬小弟

喜欢收藏各种东西，喜欢看书

善良、有礼貌、乐于助人、有一点点害羞。这只小刺猬总是不慌不忙，外表很温柔，内心很勇敢。

朱小美

爱漂亮，喜欢幻想，喜欢收礼物

可爱迷人的女孩，爱吃甜食，微胖界美女。经常鼓舞其他开心球去完成重要的事情，喜欢得到赞美。

羊诗弟

喜欢文学、诗歌和艺术

非常敏感、容易受伤，开心球中的著名诗人。一直在寻找灵感，散发着忧郁而浪漫的诗人气息。

鹿教授

热爱科学、读书和美食

很有才华的科学家，生活中有点儿笨手笨脚。对待任何问题，他都会在自己的藏书中寻找科学的答案。

巧老师

喜欢烹饪，关心大家的健康

乐于助人、充满爱心的奶奶。随时带着医药箱，经常给别人看病，倡导健康的生活方式，严厉但很公平。

大嘴叔

喜欢旅行，热爱戏剧和音乐

年长的绅士，伟大的旅行家。是个讲故事的能手，有艺术家气质，有一点儿爱吹牛。

农夫熊

喜欢种植，爱吃蜂蜜

温顺憨厚，不善言谈，整天都在地里干农活：耕地、除草、灭虫……他种的蔬菜长得非常快！

平博士

热爱发明，擅长机械，敢于冒险

自学成才的发明家，能将一堆金属碎片变成神奇的机器。喜欢开飞机，经常冒出奇怪的想法。

小贝

聪明绝顶，喜欢探索太空

平博士创造出来的机器人，拥有超强的学习能力，不会说话，但可以发出电脑声波传达信息。

教唱歌
Jiao chang ge

总是会有这样的时候，你会觉得无精打采，什么都不想做，连游戏都不想玩，事事都觉得不顺心。

羊诗弟就遇到了这样的一天。从早上开始，灵感就没有来找过他。半天过去了，诗人仍然没能创作出一首稍微像样点儿的诗歌来。羊诗弟开始烦躁起来，“我写不出诗来，我再也不是诗人了……”

羊诗弟沮丧地拨弄着手中的碎纸，突然看到了这个广告：

“教唱歌——大嘴叔”

羊诗弟灵机一动，“对呀，我的声音很响亮，或许我可以当歌唱家！”

他跑向了大嘴叔的家。

TITANIK
KAP!
KAP!

大嘴叔坐在钢琴前面，正在发呆。演唱学校已经开了一个月了，但就是没有学生，钢琴也闲置在那里，大嘴叔有点儿郁闷。

突然轻轻的敲门声传来，接着大嘴叔听见了熟悉的声音。

“老师，可以找您学习吗？”

终于出现了第一个学生，大嘴叔很激动。但他高兴得似乎有点儿为时过早。

“——啦，啦，啦——”大嘴叔郑重地教唱。

“——啦，啦，啦——”羊诗弟非常努力地跟唱，但是却跑调了。

第二天，大嘴叔实在有点儿受不了了。

“亲爱的羊诗弟！今天就练习到这儿吧。”大嘴叔很坚定地把琴盖合上，把羊诗弟推到了门外。

羊诗弟却仍然充满自信，“只要不断地练习，我一定能变成唱歌的好手！”

他一边走一边高唱着，“啦——啦——啦——”一阵风吹来，把刺耳的“啦”吹走了。

“啦”先拜访了农夫熊那里，围着农夫熊的菜园转了几圈之后，又飘向了兔小跳的家。这时，兔小跳和猬小弟正在玩水。

田野上飘过来的“啦”进到了猬小弟的耳朵里，他吓得仰面朝天摔了下去，手里的水桶骨碌碌滚到了一旁。他还没来得及把桶捡回来，羊诗弟就跳了出来，哼着歌愉快地把桶一脚踢开，扬长而去。

当你觉得幸福的时候，就总会忍不住放声高歌。现在的羊诗弟就是这样。他使劲地喊出高音“啦”，向上喊向下喊，有几次甚至向后喊。

穿过树林的时候，羊诗弟把自己的喜悦与居住在森林里的居民分享。可是森林中的小动物们却变得不安起来，能飞的就迎风展翅飞到了空中；不能飞的，就缓慢地爬着离开。

“啦啦啦！”羊诗弟向左唱，向右唱，他的“啦”声音如此巨大。他已经不再害羞，他一点儿都不想停止歌唱。他跑到最高的岩石上面，骄傲地面对大海，大吼“啦啦啦啦啦”。

“啦啦”声却突然结束了——羊诗弟的嗓子哑了，发不出声音了。

他试着和自己说话，但喉咙里发出的只有咳嗽和嘶嘶声。

“——我失去声音了，一切都完了。”羊诗弟非常担心，害怕得直发抖。

他坐在悬崖边上默默地哭了。

海浪哗哗地冲击着岩石，狂风卷起咸咸的水花，打在羊诗弟脸上。

“好冷的水！”羊诗弟突然想到一个能拯救自己的办法。

“水疗！”他冲到了井边，用水冲洗喉咙。洗了有一百零一次后，他试着倾听自己的声音。

嗓子发痒，鼻子痛，头里面嗡嗡响，但声音还是没有回来。羊诗弟坐在井边打了个喷嚏，然后晕了过去。

醒来时羊诗弟已经在井底。四周一片寂静，井壁散发出阵阵寒意。他颤抖着抬起头望向干燥晴朗的天空，那里太阳正在发出温暖的光辉。

羊诗弟咬着牙，踩着井壁的石头攀登，向着上面的亮光爬。一毫米又一毫米，他向着自己的目标前进。

有时候不小心打滑，心就会紧张得像要跳出来一样。

马上就爬到井口了，却从上方飞来一个桶，把他砸得重新跌落到水中。

“救命——”羊诗弟疲惫地喊着，用尽所有力气爬进了左右漂浮的桶中。

这时，兔小跳和猬小弟想起来，还有一只桶在井里，于是他们跑到井边。

猬小弟用尽所有的力气，想把满满的一桶水提上来。但桶异常地沉，怎么都提不起来。猬小弟无奈地喘着气。

“我来帮你！”兔小跳热心地说。

这时，绳子没撑住水桶的重量，突然断了。桶飞落下去，井里传出“啪”的声音，然后出现了“咳——咳”的奇怪声音。

“谁在那儿？”兔小跳朝井里望了一眼，胆怯地问道。

听到熟悉的声音，羊诗弟特别想回答，“是我，是羊诗弟。”但是嗓子里发出的只有沙哑的嘶嘶声。无奈之下，羊诗弟使劲敲打周围的石壁。

“水怪？”兔小跳猜测道，“听——挠墙的声音？他舍不得我们喝他的水。”

“不是水怪……”羊诗弟使劲地吼着，“我，羊诗弟，你们的朋友。”

但是从喉咙里发出来的声音却是，“啊啊啊——”

“听——嗡嗡的声音，可能他饿了。我们给他个苹果吧。”猬小弟建议道。

朋友们开始往井里扔苹果，第一个苹果砸到了羊诗弟的眼睛，第二个砸到了他的犄角，第三个砸到了他的脑门。第四个没有砸到羊诗弟，因为他躲到了桶下面。

苹果雨终于停止了，羊诗弟从桶下面钻出来，他决定再次努力爬到上面去。

“把小桶给我们，否则没好果子吃！”耳边响起了可怕的吼声。

羊诗弟抬起头来，看到两个鬼飘荡在他眼前，一个是长耳朵，一个身上带着刺……他瞬间忘了他辉煌的诗篇，害怕地紧闭双眼，双手一松，向下滑去。

又过了很久，水面上开始映照出星星的倒影。羊诗弟明白夜晚来临了。诗人开始觉得，他就像坐在一个牢房里，只有黑暗和水滴伴随着他。他开始想兔小跳、猬小弟和朱小美。

他仰面漂浮在水面上，闭上眼睛陷入沉思……他想象着，春天里花朵开了的早晨，他喝着从花朵上收集的晨露，躺在芳草地上。他又有灵感了！想到这儿，羊诗弟觉得开心了一些。

这个时候，兔小跳和猬小弟把鹿教授请到了井边——他可是他们中最有名望的科学家。

“水怪？这是不科学的。”鹿教授平静地笑着，“朋友们，帮帮忙，帮我拿盏小灯来，好吗？”

朋友们跑去找平博士，借来了风力发电机，然后一起把电线接上灯泡，小心翼翼地垂到黑洞洞的井里。

光亮越来越近，羊诗弟咧开嘴笑了，伸出手想要触摸。

电线好像被什么东西缠住了。灯泡开始晃动，在长满青苔的井壁上失去控制，最后掉入水中。灯泡中释放的电量刺痛了诗人。紧接着，从井底传来了一声震耳欲聋的完美的“啦——”，这声音实在是太完美了，连大嘴叔听到这个声音，都有点儿嫉妒了。而声音的主人则像火箭一样，从井里飞了出来。

羊诗弟在天上飞过，惊叹于夜空之美。诗人的脑海中，就像有一个万花筒，旋转出巧妙的韵脚，一个比一个好。

羊诗弟兴奋地想，“灵感终于回来了！我终于又成为了一个诗人！”

开心球词典

水生：就是住在水中的东西，它们吃饭、睡觉、工作都在水中，比如水生蜘蛛，或者水生甲虫，或者水力发动机。有些人认为，始终生活在水中的东西一定很可怕，就会说“哇，水怪！”但是兔小跳就不害怕水生的东西，因为他知道没有什么水怪。

嗓音：就是你说话或者唱歌时发出的声音。如果说话声音很低，这样的嗓音叫做“低音”。而如果很高，叫做“高音”。如果用尽所有的力气去喊，一定会嘶哑并且发不出声音。失声就是嗓子不能说话，问路或者唱合唱都不行，什么都不能干。

井：又窄又深的蓄水坑，水从地底下冒出来。刚冒出的井水非常冷非常干净，因此不要往井里扔任何东西，因为这样会破坏水质。如果在井里尖叫，会有回音。但这样就会有人认为井里有水怪，是水怪在聊天呢。

音符：为表示或记录音乐而创造的各种特殊的符号，一些线和圈。它们就像字母，每一个音符代表一个音名。谁要是认识音符并懂得规律，谁就可以创作音乐，像一个作曲家一样，或者可以唱歌。

听力：我们的耳朵听到不同声音的能力：耳语声、歌声。有时候，声音非常小，你需要仔细听才能听清楚。还存在对音乐特别敏感的耳朵，他们可以分清声音和音乐。还有人没有敏感的听力，那么听到的就是一个声音，因此，他们唱歌的调子也是不准的。

走调：就是说唱歌或者弹奏音乐音不准。每一首曲子都有音符记录，如果你唱跑调，所有的音符就都是混乱的，那么这首曲子就不那么好听；如果你唱的声音好听，音符都是对的，那么所有人都会给你鼓掌，甚至和你一起唱。

手工制作：

1. 找一个不大的盒子，去掉盖子。
2. 盒子上绑好皮筋——这将是弦。如果拉一下它们，就能发出声音。

音乐盒

3. 羊诗弟正在调整音乐盒的弦，调整的时候是有一定角度的，如图所示。
4. 给音乐盒涂上你喜欢的颜色。

图书在版编目（CIP）数据

啦/俄罗斯聪明玛莎出版社，北京开心球动漫技术有限公司编著；赵力译．—北京：中国人民大学出版社，2015.1

（开心球）

ISBN 978-7-300-20600-4

Ⅰ．①啦… Ⅱ．①俄… ②北… ③赵… Ⅲ．①儿童文学－图画故事－俄罗斯－现代 Ⅳ．①I512.85

中国版本图书馆CIP数据核字（2014）第313257号

俄罗斯原版图书由A.马利根诺娃，I.波波夫，A.普罗霍罗，S.沙伊西努洛夫，I.舍甫丘克等编创。

绿色印刷　保护环境　爱护健康

亲爱的读者朋友：

本书已入选“北京市绿色印刷工程——优秀出版物绿色印刷示范项目”。它采用绿色印刷标准印制，在封底印有“绿色印刷产品”标志。

按照国家环境标准（HJ2503-2011）《环境标志产品技术要求　印刷　第一部分：平版印刷》，本书选用环保型纸张、油墨、胶水等原辅材料，生产过程注重节能减排，印刷产品符合人体健康要求。

选择绿色印刷图书，畅享环保健康阅读！

北京市绿色印刷工程

开心球

啦

俄罗斯聪明玛莎出版社　北京开心球动漫技术有限公司　编著

赵　力　译

La

出版发行	中国人民大学出版社		
社　　址	北京中关村大街31号	**邮政编码**	100080
电　　话	010-62511242（总编室）		010-62511770（质管部）
	010-82501766（邮购部）		010-62514148（门市部）
	010-62515195（发行公司）		010-62515275（盗版举报）
网　　址	http://www.crup.com.cn		
	http://www.ttrent.com（人大教研网）		
经　　销	新华书店		
印　　刷	北京尚唐印刷包装有限公司		
规　　格	210mm×236mm　16开本	**版　　次**	2015年3月第1版
印　　张	2　插1	**印　　次**	2015年3月第1次印刷
字　　数	5 000	**定　　价**	15.00元

版权所有　侵权必究　　印装差错　负责调换

КОНФЕТА